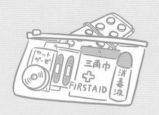

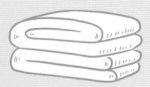

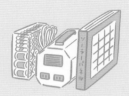

ぼうさいバッグの ちいさなポケット

げんあん　たかます あやか

さく　twotwotwo（にににに）

にちようびのあさ
ぼくのうちには　ときどき
おもい　にもつが　とどく。

「よいしょ！」
おとうちゃんは　その　にもつをもって
そうこにいく。
そして　しばらく　でてこない。

……やっぱり　なにか　ひみつがあるんだ。
きょうは　ぼくも　こっそり　ついていった。

そうこの　いりぐちから
そっと　のぞいてみると
このまえ　たんけんしたときには
みつけられなかった　たくさんのものが
きれいに　ならんでいた。

「おとうちゃん　なにしてるの？」
「うちの　そなえを
チェックしているんだよ」
「そなえ？」

「おみず　オッケー
おこめ　オッケー
トイレ　オッケー」

たのしくなって
ぼくも　まねした。

「おみず　オッケー！
おこめ　オッケー！」

みず　しょくりょう
カセットコンロに　ボンベ
かんいトイレ
キャンプようひん
いろいろなものが　あった。

あと　みていないものは……

「ねえねえ　これはなあに？」
とびらのちかくに　ふたつのバッグが　ならんでいた。

「これは　ひなんするときに　もっていく
とうちゃんと　おかあちゃんの　ぼうさいバッグだよ。
なかを　みてみる？」

ねえペロ！
あのときみつけた　バッグだよ
なにか　ひみつが
かくれているのかな

わん！

なかみを　ぜんぶ　ひろげてみた。

これ　なあに？

「わー　ひみつの　どうぐが
いろいろ　はいって　いたんだ！
はじめて　みるものも　ある。
どうやって　つかうものなんだろう？」

「すこし　つかれただろう？
おやつにしよう」

「え！　いいの？　やったー！」

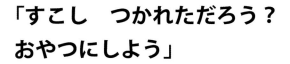

おかあちゃんに
おこられないかな？

「そうこのなかに
あたらしいものを
いれて
ふるいものから
じゅんばんに
つかっていくんだよ」

そうなんだ！
しらなかったー

あ、ほんとだ

「さいがい　って　わかるかい？」
おやつをたべながら
おとうちゃんが　はなしはじめた。

「うーん……　たいふう　とか？」

「そう。　つよいかぜが　ふくことや
おおあめが　ふって
かわが　あふれることもある。
まちじゅうが　みずびたしに
なってしまったり……
そんなとき　そとにいては　きけんだよ」

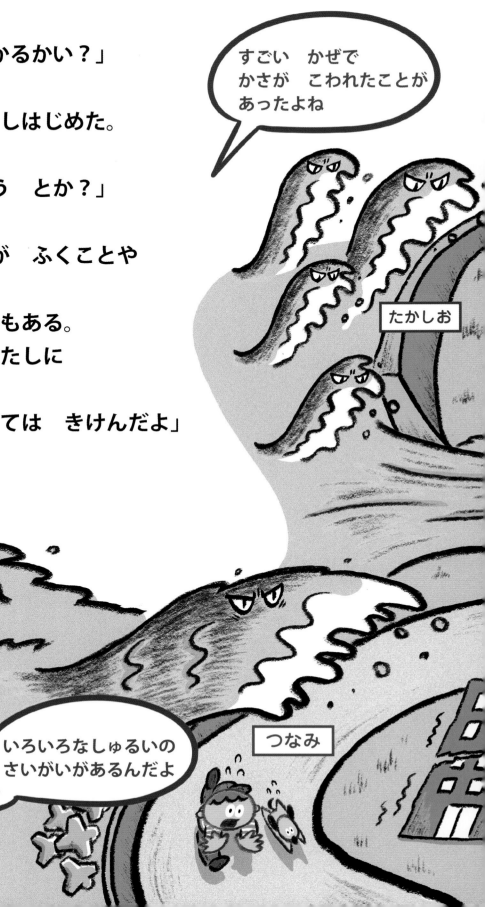

すごい　かぜで
かさが　こわれたことが
あったよね

たかしお

いろいろなしゅるいの
さいがいがあるんだよ

つなみ

「でもね
もし　とっても
おおきな　さいがいだと
おうちでも　あんしんしては
いられない。
でんき　ガス　すいどうが
とまってしまうかも
しれない。

そんなときのために
そうこに　そなえて　いるんだよ。

ていでんしても
みずが　とまっても
かぞくが
しばらくのあいだ　いえで
くらせるように　ね」

「そうだ　まーくんも　じぶんの
ぼうさいバッグを　つくってみる？」

そういって　おとうちゃんは
あたらしいバッグを　ぼくにくれた。

バッグのなかは　まだ　からっぽ。

ぼくの　ぼうさいバッグ？
うん！　つくる！

わん！

「ひみつどうぐは　なにに　しようかな」

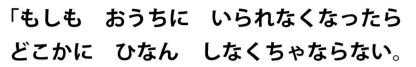

「もしも　おうちに　いられなくなったら
どこかに　ひなん　しなくちゃならない。

そのときに
ひつようになるもの
やくにたつものを　いれておく。

でも　まーくん。
よくばらず　もちきれるぶんだけに
しておかないとね」

ペロのケース
けっこう　ひろいね！

ペロの
ぼうさいバッグも
あとでつくろう

「おみずや　しょくりょうのほかに
まーくんの　たいせつなものも
いれておくと　いいよ」

クッキーと
あめと
おみずと……

このちいさい
ポケットには
なにを　いれようかなー

「たいせつなもの……」

いろいろ　バッグに　いれてみた。
だけど……

いちばん　たいせつなものは
まだ　いれられていない
きがする。

「ねえねえ　おとうちゃんの
いちばん　たいせつなものって
なあに？」

すると　おとうちゃんは

「そんなの　きまっているだろう！

まーくんが　げんきで
いてくれること

なにがあっても
ぶじで　いてくれることだよ」

そういって
ぎゅーーーっと
だきしめてくれた。

わん！

「ぼくも　おとうちゃんと
おかあちゃんと　ペロと
……かぞくみんなで
ずっと　ずーっと
いっしょにいたい！
それが　いちばん！」

おとうちゃんの　うでのなかは
あたたかくて　ほっとした。

ぼくの　ぼうさいバッグには
たべものや　みずのほかに
トランプと　だいじな　おもちゃを
いれてみた。

そして
さいごに

バッグの　ちいさいポケットに
かぞくのしゃしんを　いれた。

ペロも いっしょに 『ひなんくんれん！』

1

かぞくみんなで
さんかするのは
はじめてね

そろそろ
しゅっぱつ
するよ

きょうはペロも
いっしょに
いくんだよ

わん……

2

ひなんじょ たいけん

じぶんだけの
くうかんが あると
うれしいわね

わぁ！
たいいくかんに
たくさんのへやが
できたみたい！

3

ペットどうこう ひなんくんれん
うけいれスペース

ぎゅう
ぎゅう

クーン…

ペロ……
なんだかせまくて
かわいそう……

4

あそべるくらい
ひろいケースに
してあげたいな！

おおきすぎると
まーくんが
はこべないよ！

本編のじたくそうこにも　ペロのキャリーケースがあるよ！　さがしてみてね！
（ほんぺん）

『まーくんのぼうさいバッグ 大公開！だいこうかい』

ラジオ

かいちゅう でんとう

これがあれば もしひとりに なっても すこしあんしん

よびのでんち

オレンジあじの グミ

チョコチップ クッキー

ラムネ

ぼくがいつも たべてるあじ

すきなやきゅうチーム の バンダナ

やわらかいボール

ぼくのしょうらいのゆめは やきゅうせんしゅなんだ！

おきにいりの ミニカー

いつもの すきなものが あるだけで ほっとする…

おえかきしたり おてがみかいたり いろいろできるよ

トランプ

しんけいすいじゃくと しちならべがすき

メモちょう

ペン

ペロの おもちゃ

ペロのおやつ

ホイッスル

ウェット ティッシュ

500mlのみず

かあちゃんが えらんだものも すこしたして おくね！

アルファ米まい おにぎり（しゃけ）

えいようほじょ しょくひん （チョコ味）

ばんそうこう

サバイバル ブランケット

EMERGENCY CARD
やべ まもる ○がた
2018年 2月22日生
☎ 0□□-0000-0000

きんきゅう れんらくさき カード

くるくるまいて ケースにいれられるよ

しんぱいだから ぼくのバッグにも ペロのものを すこしいれたよ！

わん！

ねー ペロ

M

作者プロフィール

あした
ごさ

絵本アニメクリエイター　twotwotwo（ににに）

2015 年に活動開始した絵本好きの二人組。京都在住。

鉛筆で 3000 枚を描き、初めて手掛けたアニメーション作品が転機となった後、

笑福亭鶴瓶さんの番組『無学 鶴の間』、NHKBS『菅田将暉 TV』などのテレビ番組ロゴを 20 以上担当するとともに、

松下洸平『KISS』、wacci『ジグソーパズル』などのミュージックビデオや、矢部太郎 (カラテカ) の映像編集など、

これまでに 70 本以上の映像作品を制作。

“絵や工作が苦手な子どもでも楽しめる” を目標に、ワークショップにも取り組んでいる。

たかます あやか

1994 年長崎県生まれ、東京都在住。

幼稚園教諭一種、保育士資格所持。児童養護施設にて 8 年間保育士として勤務。

ゆうゆう絵本講座生。現在絵本作家を目指して奮闘中。

おすすめの保存食は水もどしきなこ餅。

ぼうさいバッグの ちいさなポケット

2024 年 3 月 17 日　初版 第 1 刷発行

原　案　たかます あやか
作・絵　twotwotwo（ににに）

編　集　村上 沙織　平林 英二

発　行　防災 100 年えほんプロジェクト実行委員会
　　　　構成団体：ひょうご安全の日推進県民会議
　　　　　　　　　（公財）ひょうご震災記念 21 世紀研究機構
　　　　　　　　　阪神・淡路大震災記念 人と防災未来センター
　　　　事 務 局：阪神・淡路大震災記念 人と防災未来センター

発　売　神戸新聞総合出版センター
　　　　〒650-0044　神戸市中央区東川崎町 1-5-7
　　　　TEL 078-362-7140　FAX 078-361-7552
　　　　https://kobe-yomitai.jp/

印　刷　株式会社 神戸新聞総合印刷

© Picture book project: Disaster Risk Reduction for the next 100 years
2024. Printed in Japan

乱丁・落丁本はお取り替えいたします。
ISBN978-4-343-01227-2　C0793

この絵本は、プロジェクトによる
「防災 100 年ものがたり（絵本の原案）募集」の
入選作品を元に制作しました。
公式サイトで詳しい情報を公開しています。
ぜひご感想をサイトのフォームからお寄せください。

防災 100 年えほんプロジェクト
https://bosai100nen-ehon.org/

時 を 経 て も 、 続 く 価 値 を 。
SEKISUI HEIM
Unit Technology for the Future

積水化学工業株式会社は
トップパートナー企業として
防災 100 年えほんプロジェクトを
応援しています。

まーくん家の備え(そな)チェックリスト

それぞれに あわせたグッズを たのしみながら じゅんびしてみよう！

0次(ぜろじ)
いつものかばんに

- □ ホイッスル
- □ ポケットティッシュ
- □ ウェットティッシュ
- □ 大半(おおばん)のハンカチ
- □ 除菌ウェットティッシュ
- □ あんぜんピン
- □ ミニライト
- □ マスク
- □ くし
- □ けしょうひん
- □ せいりようひん
- □ ばんそうこう
- □ げんきん
- □ みぶんしょう
- □ カイロ
- □ 常備薬(じょうびやく)
- □ かがみ
- □ モバイルバッテリー
- （おきにいりのポーチ）

通学・通勤・外出時、いつものバッグ・かばんに携帯する備え。膨らみ・重さを最小限にすると、長く続けられます。ある日、もし「突然帰宅できなくなったら」を想像し、自分にとって「その時にも必ずいるけれど、すぐにお店では買えないもの」から選定を。

1次(いちじ)
ぼうさいバッグに

- □ みず
- □ ひじょうしょく
- □ ガムテープ
- □ ウェットティッシュ
- □ ポリぶくろ
- □ じょうびやく
- □ タオル
- □ バンダナ
- □ マスク
- □ けいたいラジオ
- □ きゅうきゅうセット
- □ モバイルバッテリー
- □ ばんのうナイフ
- □ よびメガネ
- □ かいちゅうでんとう
- □ あまぐ
- □ よびでんち
- □ サバイバルブランケット
- □ げんきん
- □ ホイッスル
- □ じゅうでんコード
- □ ゆせいペン
- □ ライター
- □ ぐんて
- □ かんいトイレ

急ぎ、避難！となった時に、さっと持ち出せるバッグを、1人に1つ用意する備え。リュックサック等に1〜2日程をしのげる最低限の日用品・常備品を揃え、避難した先で、自力で自分を守り、生き延びます。春と秋には、暑さ・寒さに対応できる中身の衣替えを。